L'ANXIÉTÉ

racontée aux enfants

Catalogage avant publication de Bibliothèque et Archives nationales du Québec et Bibliothèque et Archives Canada

Hébert, Ariane, 1974-

L'anxiété racontée aux enfants

Pour enfants.

ISBN 978-2-89662-687-8

1. Angoisse chez l'enfant – Ouvrages pour la jeunesse. I. Morin, Jean, 1959- . II. Titre.

BF723.A5H432 2017   j155.4'1246   C2016-942412-X

Édition
Les Éditions de Mortagne
C.P. 116
Boucherville (Québec) J4B 5E6
editionsdemortagne.com

Illustrations
© Jean Morin

Dépôt légal
Bibliothèque et Archives Canada
Bibliothèque et Archives nationales du Québec
Bibliothèque nationale de France
2ᵉ trimestre 2017

ISBN 978-2-89662-687-8
ISBN (epdf) 978-2-89662-688-5
ISBN (epub) 978-2-89662-689-2

1 2 3 4 5 – 17 – 21 20 19 18 17

Imprimé au Canada

Veuillez noter que, dans le texte, les titres et fonctions sont employés indifféremment au féminin ou au masculin.

Gouvernement du Québec – Programme de crédit d'impôt pour l'édition de livres – Gestion SODEC.

Membre de l'Association nationale des éditeurs de livres (ANEL)

ARIANE HÉBERT, psychologue

L' ANXIÉTÉ

racontée aux enfants

Illustrations par
Jean Morin

ÉDITIONS DE MORTAGNE

*À mes pestes : Béa, Anne-So, Em, Jules,
Antoine, Juju, Flo et Charlie.*
xxx

Mes parents m'ont emmenée chez le médecin après que je leur ai parlé de mes MAUX de ventre et de mes nausées. Le docteur Jules m'a appris que les sensations physiques douloureuses et désagréables que j'éprouve sont en fait liées à mes peurs et à mes craintes.

Il m'arrive de sentir mon cœur cogner très fort dans ma poitrine, d'avoir les mains moites et de TREMBLER, même si je n'ai pas froid. Je m'endors souvent très tard le SOIR et je me réveille plusieurs fois durant la nuit. Je suis donc toujours fatiguée !

QUE VA-T-IL M'ARRIVER ? JE SUIS TRÈS INQUIÈTE.

IL FAUDRA QUE TU APPRENNES À MIEUX GÉRER TON ANXIÉTÉ POUR QU'ELLE CESSE DE TE RENDRE LA VIE DIFFICILE. MON AMIE ANNE-SOPHIE POURRA T'AIDER À Y PARVENIR.

Anne-Sophie est psychologue et travaille avec les enfants et les adolescents anxieux. Docteur Jules la prévient de ma visite et mes parents me conduisent à son bureau.

— Bonjour Béatrice! s'exclame-t-elle en m'ouvrant la porte avec un grand SOURIRE. Est-ce que le docteur Jules t'a parlé de mes assistants? Ils sont bien particuliers... ils ont quatre pattes, une queue et un museau mouillé!

Trois CHIENS se ruent vers moi en jappant joyeusement, pour faire ma connaissance.

– Les **animaux** qui travaillent avec moi ont déjà vécu des expériences comme la tienne, explique Anne-Sophie. Ils étaient anxieux, avant, mais c'est maintenant terminé. Assieds-toi et laisse-moi te les présenter… Voici Victor.

Autrefois un chiot enjoué et affectueux, Victor est devenu anxieux parce que son maître avait pris la fâcheuse habitude d'élever la voix trop souvent, pendant leurs balades. S'il voyait un écureuil sur le trottoir, un boyau d'arrosage qui menaçait de les mouiller ou un vélo qui fonçait dans leur direction, l'homme criait et tirait sur la laisse de son chien pour le prévenir du possible DANGER. Le pauvre Victor se sentait constamment effrayé, car tout dans son environnement lui semblait menaçant.

CE DOIT ÊTRE VRAIMENT STRESSANT D'ENTENDRE TOUJOURS CRIER.

EN EFFET, ET C'EST UN PEU CE QUI SE PASSE DANS TON CERVEAU ET QUI CAUSE TON ANXIÉTÉ.

MON CERVEAU... CRIE ?

EN QUELQUE SORTE.

Anne-Sophie m'explique que mon cerveau est une espèce de superhéros qui me protège. S'il croit qu'une situation MENACE ma vie ou ma sécurité, il sonne l'alarme et ordonne à mon corps de réagir pour que je puisse me sauver ou me défendre. C'est comme s'il utilisait un porte-voix pour m'avertir; ça résonne si FORT dans ma tête que je ne peux pas l'ignorer.

Par exemple, si un TRONC d'arbre tombait dans ma direction, ou qu'une voiture se dirigeait droit sur moi, il hurlerait à mon pouls de s'accélérer, à ma respiration de s'activer et à mes muscles de se contracter. Je serais alors prête à **bondir** pour éviter le danger !

Cependant, il arrive que mon cerveau ne puisse pas différencier les situations qui sont dangereuses de celles qui pourraient seulement être désagréables.

Lorsque je fais une présentation orale devant ma classe, ou que je suis invitée à une fête d'anniversaire avec de nouveaux amis, mon cerveau utilise son porte-voix pour crier à mon corps de réagir. Je deviens alors très tendue, comme si je devais me sauver à toutes jambes. Je me force à combattre cette sensation et c'est difficile!

IL FAUDRA
QUE TU APPRENNES À
TON CERVEAU À DISTINGUER
LES SITUATIONS QUI PRÉSENTENT
DE RÉELS DANGERS DE CELLES
QUI SONT SIMPLEMENT
INCONFORTABLES...
ET À RANGER SON
PORTE-VOIX !

C'est ce qu'a fait le maître de Victor. Aujourd'hui, si le chien s'élance tout droit vers une mare de boue ou s'approche le museau trop près d'une bestiole, l'homme prévient doucement son toutou, sans l'affoler. Il réserve ses cris aux rares situations qui pourraient être dangereuses pour l'animal.

Alors quand mon cerveau déclenche l'alarme, je dois me demander : est-ce que je risque vraiment de me BLESSER ? Ai-je besoin de combattre ou de me sauver ? Si la réponse est non, j'ordonne à ma tête de me parler doucement.

— Psiiiit, Béatrice ! me chuchote ma petite voix intérieure. Souviens-toi, tu as déjà réussi à parler devant ta classe sans difficulté ! Et tu es déjà allée à une FÊTE d'anniversaire où tu t'es fait de nouveaux amis ! Tu as une belle personnalité que les autres aiment.

Tout à coup, une boule de **poils** blonds vient poser sa tête sur mes genoux, dans l'espoir de se faire flatter.

ELLE, C'EST MAGGIE.
ELLE EST TRÈS INTELLIGENTE
ET IMAGINATIVE. CE SONT DE
SUPERBES QUALITÉS, MAIS ELLES ONT
MALHEUREUSEMENT CONTRIBUÉ
À SON ANXIÉTÉ...

Pleine d'énergie, cette femelle labrador adore se promener dehors, tard le soir. Puisque le quartier est très sombre, son maître éclairait leur trajet avec une lampe de poche dont le faisceau ne laissait entrevoir qu'une partie du décor. L'imagination débordante de Maggie s'est alors mise à lui jouer de bien mauvais tours ! Une queue de souris se changeait en *SERPENT* venimeux, le craquement d'une branche d'arbre sonnait comme le cri d'un dragon cracheur de feu, et un chaton couché sous un buisson devenait un OURS affamé prêt à l'attaquer.

Comme bien des gens anxieux, Maggie s'inventait toutes sortes de scénarios terrifiants et imaginait toujours le PIRE.

Il m'est souvent arrivé de faire comme elle. Je me rappelle, l'autre jour, pendant la récréation… Mes amies étaient au fond de la cour d'école et elles me regardaient. Lorsqu'elles se sont esclaffées, j'ai tout de suite pensé qu'elles se moquaient de moi !

HAHAHA!

Dans mon esprit, la lampe de poche éclairait mal ce que je voyais. Si j'avais eu un gros projecteur pour illuminer mes pensées et me pousser à réfléchir davantage, j'aurais compris sur-le-champ qu'elles riaient simplement d'une bonne BLAGUE !

Et cette autre fois, quand ma mère était en retard pour venir me chercher au service de garde et que j'ignorais où elle était… J'aurais dû songer qu'elle était retenue par la **CIRCULATION**, comme c'était déjà arrivé à quelques reprises!

Mais ma lampe de poche s'est contentée d'illuminer les minutes de l'horloge qui filaient, et j'ai senti monter l'anxiété.

Pour rassurer sa chienne, le maître de Maggie a pris l'habitude de se balader dans des QUARTIERS plus éclairés. Maintenant qu'elle voit bien ce qui se présente sur son chemin, elle a cessé de s'inquiéter. Comme elle, je dois apprendre à voir plus clair ! Je vais essayer d'envisager toutes les options possibles, au lieu de croire qu'un malheur va se produire.

IL FAUT PRENDRE LE TEMPS D'EXAMINER LES SITUATIONS, POUR PARVENIR À CONTRÔLER SON ANXIÉTÉ. LORSQUE TOUT VA TROP VITE DANS TON ESPRIT, TES PENSÉES PEUVENT S'EMMÊLER... C'EST CE QUI ARRIVE PARFOIS À MON BEAU LOU !

Anne-Sophie désigne alors le bouvier bernois étendu à ses pieds.

Lou AIME passer la tête par la fenêtre de l'auto-mobile en mouvement, parce qu'il peut sentir toutes sortes d'odeurs et admirer le paysage. Mais, quand la voiture avance à vive allure, les images défilent trop vite devant ses yeux et il ne réussit plus à les distin-guer. Lou angoisse et sent son esprit s'embrouiller. Il devient alors incapable de penser et de voir autre chose que de gros NUAGES sombres.

TU SAIS, MOI AUSSI, J'AI PARFOIS L'IMPRESSION D'ÊTRE DANS UN ÉPAIS BROUILLARD. LE TRAVAIL, LES ACTIVITÉS DU SOIR, LES TÂCHES À LA MAISON... QUAND JE PENSE AUX ÉVÉNEMENTS À VENIR ET À TOUT CE DONT JE DOIS ME CHARGER, MON ESTOMAC SE SERRE. PLUTÔT QUE DE ME METTRE AU BOULOT, JE N'AI QU'UNE SEULE ENVIE : M'ENFOUIR LA TÊTE SOUS LES COUVERTURES ET NE PLUS BOUGER JUSQU'À CE QUE MON ANGOISSE AIT DISPARU. MAIS ÇA NE FONCTIONNE PAS !

– Que fais-tu alors ?

– Eh bien, au lieu de les voir comme une grosse MONTAGNE, je prends le temps de regarder toutes les choses à faire une à une. De cette façon, je peux mieux me préparer, m'organiser et planifier les étapes à suivre. Je constate ainsi que je suis parfaitement capable d'accomplir une foule de tâches !

Soudain, j'aperçois de grands **yeux** verts qui me fixent, sous le canapé.

– C'est Zac, un gros matou que nous avons trouvé alors qu'il n'était qu'un chaton. Il a grandi entouré de Victor, de Maggie et de Lou, alors il a longtemps cru être lui-même un chien! Il se sentait triste de ne pas pouvoir aboyer ou donner la patte… jusqu'à ce qu'il comprenne qu'il était un **CHAT**! Il est maintenant très heureux d'être le seul à pouvoir sauter sur le rebord des fenêtres et se promener sur les toits. Ses amis canins le regardent avec envie! Tu sais, Béatrice, Zac était un peu comme toi.

– Ah oui ? Pourquoi ?

– Toi aussi, tu es stressée lorsque tu ne fais pas comme les autres, ou même mieux que les autres. Tu voudrais être toujours la meilleure en tout et tu acceptes mal de faire des **ERREURS**. Si tu te trompes, tu crois que les autres vont te rejeter ou moins t'aimer… mais tu n'as pas à être parfaite ! Personne n'exige ça de toi. Tu as plein de belles qualités qui te rendent unique et forte. N'oublie jamais, Béatrice : tu es très bien comme tu es !

C'EST VRAI... ET, AVEC
TOUS LES TRUCS QUE J'AI APPRIS
AUJOURD'HUI, JE SUIS CERTAINE QUE
JE RÉUSSIRAI À CONTRÔLER MON ANXIÉTÉ
ET À ME SENTIR MIEUX. JE VAIS DEMANDER
À MA PETITE VOIX DE NE PLUS CRIER,
DIRE À MON PROJECTEUR DE BIEN ÉCLAIRER
MES IDÉES, COMMANDER À MES PENSÉES
DE NE PLUS S'EMBALLER,
ET ME RAPPELER...

... QUE JE SUIS
DIFFÉRENTE ET
EXTRAORDINAIRE !

L'anxiété se vit de plusieurs façons d'une personne à l'autre. Voyons un peu les différentes facettes qui la composent. Coche ce qui te décrit le mieux dans chacune des catégories :

J'ai peur... de mes sensations

- ☐ J'ai chaud, j'ai froid, j'ai encore chaud... mais qui joue avec le thermostat ?

- ☐ Mon ventre gargouille comme si une colonie de grenouilles s'y était cachée.

- ☐ J'ai la tête qui tourne ! Arrêtez ce manège, je vous en prie !

- ☐ Je tremble, je frissonne, je frémis. J'ai l'impression que mon corps est fait de Jell-O aux fruits !

- ☐ Je respire vite et mon cœur bat très fort. Aurais-je couru sans m'en rendre compte ?

J'ai peur... du jugement des autres

☐ S'ils me voient commettre une erreur, les autres se moqueront de moi, c'est certain. Si seulement je pouvais être parfait!

☐ Arrêtez de me dévisager ainsi! Je deviens terriblement nerveux lorsqu'on me prête trop d'attention. Où puis-je acheter une cape d'invisibilité?

☐ Parler? Moi? Et si ce que je disais était sans intérêt? Je ne voudrais pas vous endormir...

☐ D'accord, d'accord, j'irai à cette fête d'amis! Mais n'exigez quand même pas que j'aie du plaisir. Je serai trop concentré à ne pas déranger.

☐ S'il m'arrivait malheur, je parie que personne ne viendrait à mon secours et que je devrais me débrouiller seul.

HAHAHA!

J'ai peur... de certains objets, actes, situations ou idées

☐ Je crains les chiens, les petites bêtes, les serpents ou les araignées. Montrez-moi l'objet de ma peur et vous verrez la rapidité avec laquelle je peux me cacher !

☐ La nuit, le noir du sous-sol ou de ma chambre transforme mes jambes en spaghettis bien cuits !

☐ Les vents forts, le tonnerre et les éclairs sont mes ennemis. Réveillez-moi seulement lorsque le soleil sera de la partie.

☐ C'est trop haut ! Ça va trop vite ! Ça bouge trop ! Et si on restait plutôt tranquillement assis à la maison ?

☐ Les microbes, les bactéries et le vomi devraient être bannis. Juste d'y penser, ça me rend malade...

J'ai peur... de me séparer de toi

☐ Où vas-tu? Tu comptes sortir de mon champ de vision pendant plusieurs minutes? Je n'y survivrai pas!

☐ Puis-je rester près de toi, t'appeler plusieurs fois par jour et chercher à avoir toute ton attention jusqu'à ce que je sois vieux... genre, quatre-vingt-huit ans?

☐ Dormir ailleurs que dans ma maison est un défi. Je surmonterai cette épreuve uniquement si tu me promets mer et monde, et si je suis en présence de personnes sécurisantes.

☐ Une catastrophe pourrait survenir demain; je risque de ne plus jamais te revoir! J'y pense fréquemment.

☐ Accomplir des gestes sans ton aide? Vraiment? Allons... je n'oserais pas!

J'ai peur... de tout !

☐ J'ai souvent l'impression que les choses ne tournent pas rond. J'anticipe le malheur, prédis les désastres, envisage le pire.

☐ Mes parents sont persuadés que j'ai un rhume, mon enseignante croit que j'ai un rhume, mon médecin et mon pharmacien disent que j'ai un rhume, mais moi, je sais que c'est beaucoup plus grave...

☐ Oui, tu as répondu à ma question plusieurs fois déjà, mais inspire profondément, parce que je vais te la reposer des dizaines de fois. Et je n'aurai pas moins peur pour autant !

☐ «Que va-t-il se passer?» «Quand cela arrivera-t-il?» «Comment et pourquoi?» «Oui, mais?...» «Et si?...» sont mes formulations favorites.

☐ Si je dois choisir entre avoir du plaisir ou me faire du souci, je choisis l'inquiétude. Ainsi, quoi qu'il arrive, je ne risque pas d'être déçu.

J'ai peur... de ne pas être à la hauteur

☐ J'ai beau étudier longuement, il existe une petite porte dans mon cerveau par laquelle les informations se sauvent, si bien que, pendant les examens, je ne me souviens plus de rien !

☐ Je vous remercie de vos encouragements, de vos félicitations et de vos récompenses, néanmoins je reste déçu de ma performance.

☐ Il m'arrive d'avoir envie d'essayer une nouvelle activité, mais, puisque j'ai peu de chances d'exceller en étant débutant, je préfère laisser tomber.

☐ Je prends beaucoup de temps pour réviser, vérifier, corriger... Je suis satisfait seulement lorsque c'est parfait !

J'ai peur... de mes propres manies

☐ Mes parents ont-ils bien barré les portes de la maison, avant d'aller au lit ? Je vais aller vérifier rapidement pour la quatrième fois...

☐ Lorsque j'effectue des gestes de façon routinière et répétitive, j'ai l'impression d'écarter le danger. Grâce à mes rituels, nous sommes momentanément sauvés !

☐ Je compte les lignes du trottoir, les tuiles du plancher, les briques du mur de l'école et les dessins épinglés au babillard. J'aimerais bien pouvoir bavarder avec mes copains, mais mon esprit est trop occupé !

J'ai peur... de parler

☐ N'essayez pas d'obtenir une phrase complète de ma part... Mes lèvres sont scellées avec de la colle et je préfère ne rien dire.

J'ai peur... du passé

☐ Depuis ce terrible évé-nement, je sursaute constamment et fais des cauchemars.

Tu as coché un ou deux énoncés? Normal, tout le monde vit de l'anxiété parfois! Tu as coché plusieurs énoncés? Ton anxiété est peut-être importante... Mais rassure-toi, qu'elle soit minuscule ou gigan-tesque, tu peux parvenir à la surmonter. Poursuis ta lecture à la section suivante pour apprendre plein de trucs et de stratégies!

Ton anxiété peut entraîner des difficultés pour toi, à la maison, à l'école, au service de garde, dans les activités sportives ou autres. Il t'arrive certainement de parvenir à te maîtriser dans certaines situations ou même pendant une période plus ou moins longue, mais cela te demande beaucoup d'efforts, n'est-ce pas ?

VOICI QUELQUES TRUCS POUR T'AIDER À SURMONTER TON ANXIÉTÉ.

RECONNAIS TES SENSATIONS

Identifie les sensations physiques que tu vis lorsque tu es anxieux.

● Que se passe-t-il dans ton ventre? Dans tes mains? Dans tes jambes? Sur ta peau? Sur tes joues?

● Comment est ta respiration?

● Qu'en est-il des battements de ton cœur?

Pour t'aider, tu peux tracer le contour de ton corps sur une feuille de papier et indiquer les endroits où tu ressens de la chaleur, du froid, des papillons, des crampes, des brû-lures, des gargouillis, des serrements, ou toute autre sensation.

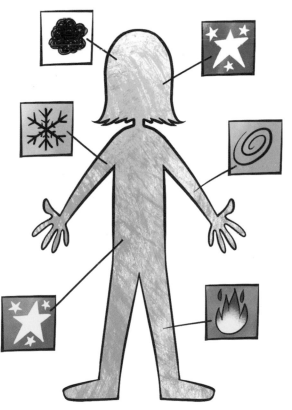

APPRIVOISE TES SENSATIONS

Il est possible que certaines sensations te fassent peur. Ça peut être désagréable de sentir son corps s'emballer et d'avoir l'impression de ne plus le contrôler! Pourtant, cela se produit souvent dans d'autres situations, si tu y penses bien...

- Quand tu cours, ton cœur bat très vite et ta respiration est saccadée, non?

- Quand il fait très chaud, l'été, tes joues sont rouges, tes mains deviennent moites et tu peux même avoir un peu de mal à respirer, n'est-ce pas?

- Quand tu sors du bain, t'arrive-t-il parfois de grelotter?

Les sensations que tu vis lorsque tu es anxieux sont les mêmes! Oui, elles peuvent être déplaisantes, mais rappelle-toi qu'**elles ne sont pas dangereuses**. De plus, elles finissent toujours par s'en aller avec le temps!

ASTUCE

Recopie les phrases suivantes sur de petits cartons, découpe-les et place-les dans un endroit où tu pourras les voir souvent. Elles t'aideront à te rappeler de ne pas craindre tes sensations.

CETTE SENSATION N'EST PAS CONFORTABLE, MAIS JE PEUX LA TOLÉRER.

SI JE LES TOLÈRE, MES SENSATIONS DÉSAGRÉABLES FINIRONT PAR PARTIR. JE PEUX LE FAIRE!

CETTE SENSATION EST **NORMALE**. JE NE SUIS PAS EN DANGER.

MON CORPS CHERCHE SIMPLEMENT À M'AIDER. IL EST MON ALLIÉ.

JE NE LAISSERAI PAS MES SENSATIONS M'EFFRAYER. JE SUIS CAPABLE DE M'APAISER!

Toi, as-tu des idées de phrases apaisantes que tu pourrais te répéter?

ASTUCE

APPRENDS À TE DÉTENDRE

- Respire lentement par le nez en gonflant ton ventre comme un ballon, puis expire par la bouche, comme si tu soufflais cinquante bougies d'anniversaire.

- Contracte tous les muscles de ton corps et compte jusqu'à trois avant de les relâcher.

- Imagine-toi avec tes proches dans un endroit où tu aimes beaucoup aller.

DANS TA TÊTE

SOIS LE DÉTECTIVE DE TES PENSÉES

Cherche à reconnaître les occasions où ton cerveau utilise un porte-voix pour te prévenir d'un faux danger, et interroge-toi :

 « Suis-je certain que ça va arriver ? »

 « Quel est le pire qui pourrait se passer ? »

 « Cela met-il ma vie en péril ? »

 « Est-ce que je peux voir la situation autrement ? »

Remarque aussi les moments où tu utilises ta lampe de poche, plutôt que ton projecteur, et où tu imagines les pires idées. Questionne-toi :

 « Ai-je des preuves que c'est la réalité ? »

 « Suis-je certain que ça va arriver ? »

 « Quelles sont les chances ? »

DANS TA TÊTE

Prête attention aux circonstances qui te font envisager l'avenir comme un gros nuage gris et demande-toi:

- «Dans le passé, qu'est-ce qui s'est produit dans la même situation?»

- «Ai-je tendance à exagérer ou à voir les choses plus graves qu'elles ne le sont?»

- «Qu'est-ce que j'ai appris, avant, qui pourrait m'aider maintenant?»

N'oublie jamais que tu es unique et exceptionnel; pose-toi ces questions:

- «Est-ce vraiment important, ce que les autres vont penser ou dire de moi?»

- «Qu'est-ce que je penserais, moi, si cela arrivait à quelqu'un d'autre?»

- «Personne n'attend de moi que je sois parfait, alors pourquoi je l'exige de moi-même?»

Pour calmer ton anxiété, souviens-toi également de toujours faire la distinction entre une situation dangereuse et une situation désagréable.

ASTUCE

Recopie les phrases suivantes sur de petits cartons, découpe-les et place-les dans un endroit où tu pourras les voir souvent. Elles t'aideront à te rappeler que tu n'es pas en danger.

CECI N'EST PAS UNE MENACE, JE NE SUIS PAS EN DANGER.

CETTE SITUATION EST DÉSAGRÉABLE, MAIS ELLE N'EST PAS DANGEREUSE.

JE PEUX CHOISIR DE VOIR LES CHOSES AUTREMENT.

ME FAIRE DU SOUCI ME REND MALHEUREUX ET ÇA NE CHANGE RIEN À LA SITUATION. STOP, J'ARRÊTE!

TOUT PROBLÈME A UNE SOLUTION.

OBSERVE TES RÉACTIONS

Détermine quel geste tu es en train d'accomplir lorsque tu deviens nerveux ou anxieux. Y a-t-il des situations que tu évites ou des choses que tu t'empêches de faire parce qu'elles te rendent anxieux ? Quels sont les moyens que tu prends pour te calmer ? Quels sont les gestes, les objets ou les personnes qui te rassurent ?

Rappelle-toi ceci : si tu fuis les événements qui causent ton anxiété, ton cerveau va croire qu'il a eu raison de crier à ton corps de réagir et il va continuer de le faire. La seule façon de lui prouver qu'il a eu tort est de lui montrer que tu n'es pas en danger en tolérant la situation stressante, jusqu'à ce que l'anxiété disparaisse. Avec le temps, ton cerveau va baisser le ton et il en viendra même à te parler tout doucement.

LANCE-TOI DES DÉFIS

Cherche à surmonter tes craintes en te mettant au défi. Commence par de petits défis, puis augmente tranquillement le degré de difficulté. Inscris-les dans un journal de bord pour t'en souvenir et observer tes progrès. Chaque fois que tu atteins ton objectif, crie-le sur tous les toits, fais la fête et récompense-toi! Tu as aussi l'option de te filmer et, devant des obstacles plus difficiles, visionner tes réussites pour te donner du courage. Tu es la seule personne à pouvoir vaincre ton anxiété... c'est possible d'y arriver!

Épingle des mots de félicitations à un endroit où tout le monde les verra. Ainsi, chacun aura l'occasion de te féliciter!

BRAVO! PREMIER DÉFI SURMONTÉ!

MERVEILLEUX! DEUXIÈME DÉFI RELEVÉ!

SUPER! TROISIÈME DÉFI ACCOMPLI!

FANTASTIQUE! QUATRIÈME DÉFI EXÉCUTÉ!

CHAMPION! CINQUIÈME DÉFI COMPLÉTÉ!

UN SCIENTIFIQUE SOMMEILLE EN TOI ET TU AIMERAIS COMPRENDRE D'OÙ VIENT L'ANXIÉTÉ ? ALORS, LIS CE QUI SUIT...

L'anxiété est un mécanisme de défense présent chez tous les humains. Elle nous protège des dangers et assure notre survie. Bien que nous en vivions tous à l'occasion, l'anxiété peut nuire au bien-être de certaines personnes.

Dans une situation de stress, c'est le cerveau reptilien
– logé à l'arrière de la tête, près de la nuque – qui
déclenche les réactions physiques. Il contrôle la
fréquence cardiaque, la respiration, la température
corporelle, etc. Il donne ses ordres de façon automa-
tique, sans qu'on lui prête attention ou qu'on lui
en passe la commande. Il monte la garde… même
lorsque nous dormons! Le cerveau reptilien fait un
très bon travail, mais, chez les personnes anxieuses,
il a parfois tendance à réagir exagérément dans
des situations où il n'y a pas de réel danger. Et toi,
ton cerveau reptilien est-il trop réactif de temps en
temps?

L'anxiété découle aussi de peurs et de fausses croyances transmises par les gènes, de génération en génération. Bien des gens craignent les serpents, alors qu'ils n'en ont jamais vu! D'autres ont peur des hauteurs, même s'ils se trouvent derrière une fenêtre, en sécurité à l'intérieur. Toi, as-tu des peurs qui pourraient provenir de tes ancêtres?

La personnalité peut aussi avoir un effet sur l'anxiété. En général, les gens anxieux sont certains d'avoir raison. S'ils perçoivent une situation comme une menace, il faudra être très convaincant pour les persuader du contraire. Tu as tendance à ne te fier qu'à tes propres croyances, toi aussi?

L'estime de soi a également un rôle important à jouer. Plus une personne est sûre d'elle, moins elle craindra ce qui pourrait survenir, puisqu'elle se saura capable de bien réagir. Aurais-tu intérêt, de ton côté, à te faire davantage confiance ?

L'anxiété peut aussi être provoquée par l'environnement. Avoir des parents eux-mêmes anxieux, ressentir des exigences élevées de la part de son entourage, connaître des difficultés d'apprentissage ou être au cœur de nombreux conflits... voilà différentes sources de stress ! Qu'en est-il pour toi ?

Enfin, des causes d'origine biologique (comme un déséquilibre dans la chimie du cerveau) ou le fait de vivre des événements très graves et malheureux peuvent aussi contribuer au développement d'un trouble anxieux. Dans de tels cas, il faut demander de l'aide aux professionnels de la santé (médecins, éducateurs spécialisés, travailleurs sociaux, psychologues).

Quels que soient les symptômes, l'origine ou l'intensité de l'anxiété de votre enfant, trois composantes sont à considérer: les pensées et croyances erronées (incluant les peurs et les craintes injustifiées ou exagérées), les sensations physiques, et les comportements.

Alors que certains troubles donnent l'illusion d'être principalement physiques (comme c'est le cas, par exemple, du trouble panique), d'autres présentent davantage de symptômes cognitifs (comme le trouble d'anxiété généralisée). D'autres encore peuvent entraîner des comportements handicapants, comme le mutisme sélectif. Néanmoins, dans chacun des cas, il est obligatoire que le traitement englobe les trois composantes énumérées plus haut pour être efficace et durable.

Pour accompagner votre enfant et le soutenir dans ses démarches, n'hésitez pas à lire et à échanger avec des professionnels afin de bien vous renseigner. Il existe une multitude d'ouvrages sur le sujet, dont *Anxiété – La boîte à outils*, de la même auteure. Vous pouvez également consulter le site Internet **boiteapsy.com** pour en apprendre davantage sur les différents troubles qui affectent les enfants.

À propos de l'auteure

Ariane Hébert est psychologue et a fondé La boîte à psy (www.boiteapsy.com) pour répondre aux besoins des individus et des familles aux prises avec des défis particuliers. Titulaire d'une maîtrise en psychologie de l'UQTR ainsi que d'une scolarité doctorale de l'Université de Montréal, l'auteure s'est spécialisée en évaluation de la santé mentale. Au plan clinique, elle détient une formation en thérapie cognitivo-comportementale et humaniste ainsi qu'une accréditation en EMDR et en stress post-traumatique. Mère de deux enfants atteints de TDA/H, elle est également chargée de cours depuis plusieurs années, chroniqueuse, et psychologue en milieu scolaire et en bureau privé. À ce jour, elle est convaincue que son métier est (tout juste après celui de maman) le plus beau métier du monde...

Achevé d'imprimer
sur les presses de
Imprimerie H.L.N.
Imprimé au Canada - Printed in Canada